劉福春・李怡 主編

民國文學珍稀文獻集成

第一輯

新詩舊集影印叢編　第35冊

【陸志韋卷】

渡河

上海：亞東圖書館 1923 年 7 月版

陸志韋　著

花木蘭文化出版社

國家圖書館出版品預行編目資料

渡河／陸志韋　著 -- 初版 -- 新北市：花木蘭文化出版社，2016
〔民 105〕
260 面；19×26 公分
（民國文學珍稀文獻集成・第一輯・新詩舊集影印叢編　第 35 冊）
ISBN：978-986-404-622-5（套書精裝）
831.8　　105002931

民國文學珍稀文獻集成・第一輯・新詩舊集影印叢編（1-50 冊）
第 35 冊

渡河

著　者　陸志韋
主　編　劉福春、李怡
企　劃　首都師範大學中國詩歌研究中心
　　　　北京師範大學民國歷史文化與文學研究中心
　　　　（臺灣）政治大學民國歷史文化與文學研究中心
總編輯　杜潔祥
副總編輯　楊嘉樂
編　輯　許郁翎
出　版　花木蘭文化出版社
社　長　高小娟
聯絡地址　235 新北市中和區中安街七二號十三樓
　　　　電話：02-2923-1455／傳眞：02-2923-1452
網　址　http://www.huamulan.tw 信箱 hml 810518@gmail.com
印　刷　普羅文化出版廣告事業
初　版　2016 年 4 月
定　價　第一輯 1-50 冊（精裝）新台幣 120,000 元

渡河

陸志韋 著

陸志韋（1894-1970）生於浙江吳興。

亞東圖書館（上海）一九二三年七月出版。原書三十二開。

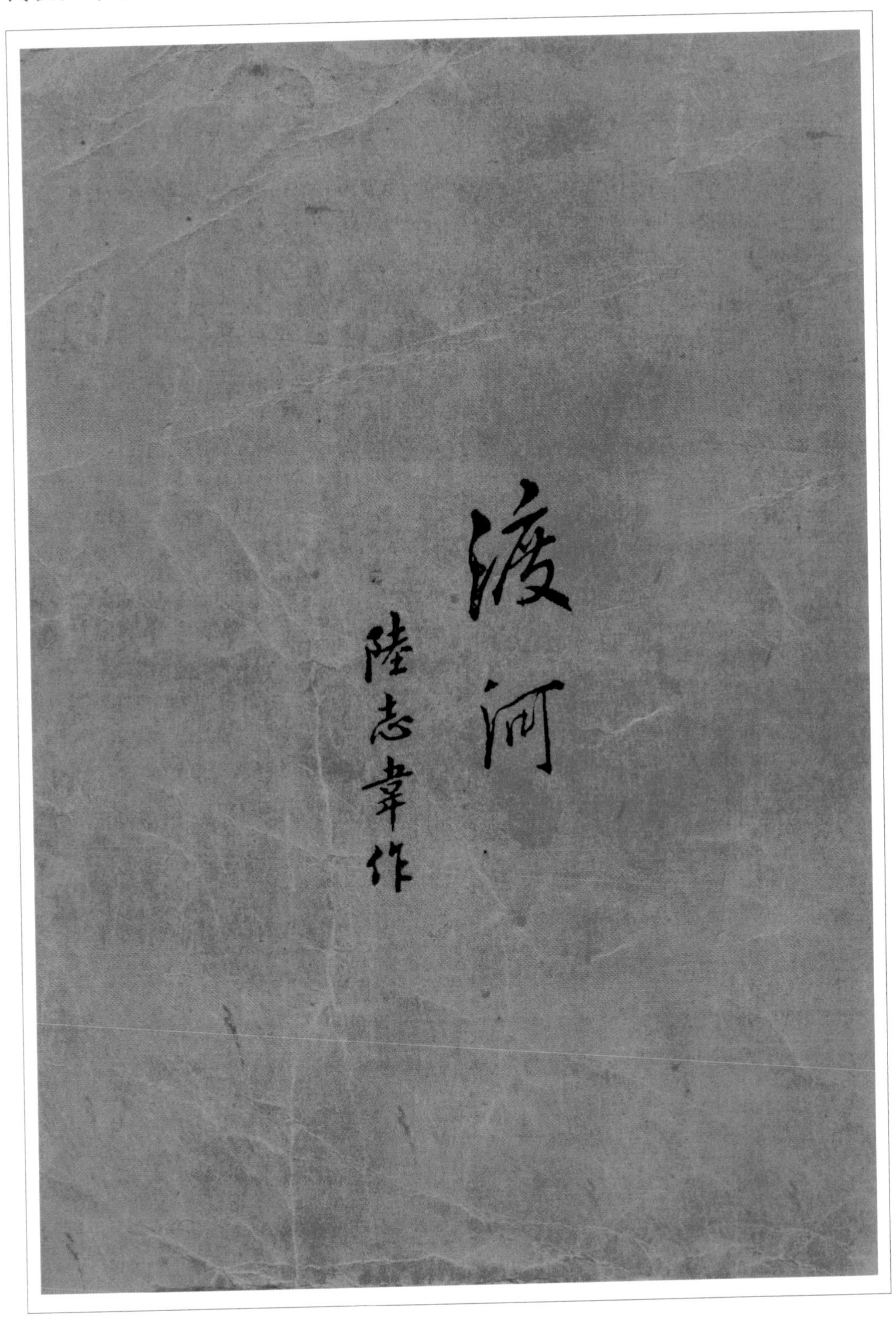
渡河
陸志韋作

渡河目錄:—

渡 河:

目錄

綠　目

錄　目

錄　目

自序

像我分析毫釐，甚至于吹毛求疵的人，無端要用感情的面目同世人相見，非但我的朋輩知交要聞而驚怪，也是我自己一二年前所夢想不到的。然而我信我的白話詩不是毫無價值。其中有用做舊詩的手段所說不出來的話，又有現代做新詩而迎合一時心理的人所不屑說不敢說的話。經過了好幾個月的疑惑，現在決意發表了。

我嘗說作序的本意，爲要使讀者認識作者的生平。因爲作者的主張，尋常人看了他的著作，大概不致有所誤會。至于他爲甚麼有這種主張乃是極隱極微之事，有時連作者自身都不會領會，不過總比他人明了些。我這一回所發表的是感情的文字，更不容不把我寫詩的背景坦白的陳述一番。這算是自寫供狀，決不是自登廣告。

寫供狀也不止一種方法。我記得 Goethe 說他一身的著作就是一篇大大的供狀。凡是讀者可以不言而喻的背景誰也不必自尋煩惱的寫出來。

我的心裏至少有二個不同的我。大學的生活使我隨時隨地見「分析」兩個字像天經地義的掛在眼前。在自然科學裏這種態度原是不成問題的。只是到了我自己所研究的學問上，就沒有一些定論。二三十年來號稱爲新心理學家的每以爲我們的科學受了生物學的洗禮了，再沒有聯念派武斷盲從的餘地了。可是我呢，只覺得機能心理學是文不對題的學說。我們反對機械論的人生哲學是一個問題；因爲要反對機械哲學而破壞科學方法，另是一個問題。一般人因爲機械哲學的生硬，便以爲非機械論的科學方法定是近情的了，那是大誤而特誤。我既然不怕分析，就空受了傳統的機能派的幾年敎育，甘心做了叛徒。同理，我對於 Bergson, Driesch, Mc Dougall 等人用形而上學擾亂心理學從不敢贊一辭。總覺得他們的主張沒有科學的精細，沒有詩的美麗，又沒有宗敎的莊嚴。非機械論不過代表思想家對於科學方法的不滿足。冥冥之中我像聽見一個聲音對我說：『自然界之上難道沒有精神生活了麽？』冥冥之中我決絕的回對說：『有的，在美術裏求，或是在宗敎裏求，切不要走形而上學的死路。』

這樣的抽象話我知道不應該在做詩序時說的。只是此種成見充滿了我的全副精神，否則像我這個死要分析的人怎樣會做詩，怎樣肯做詩呢？我有時爲了一個小數點費了整天整夜的功夫，不肯放他過去。我的朋輩中也有疑我是全無感情的人。豈知我的情緒別有用處。因爲怕分析而罵科學，那我決不敢做的。我在休息的時候讀人的詩，做我的詩。

然而『上馬殺賊，下馬論文，』不是自相矛盾的生活麼？我每聽見科學家和文學家互相辱罵，醜不可耐。我自身不成一家，偏要挨在中間，做不歡迎的蝙蝠。我並不敢信科學和非科學的中間有可以調和的中立地。政治式的，歡送會式的調和，都見吹氣的人不懂科學，又不懂美術宗教而已。

我所信仰的，就是一個人的精神可以超出世界上一切不必調和的價值；把他們概括起來，變成一個人的經驗。旁觀者以爲矛盾的，在他一些都沒有衝突。我當然沒有達到這種地步，我只是向上跑。凡是不肯自暴自棄的人我信終有一天跑到的。Goethe的大供狀，怕就是這條路上的探險記罷。

即此可見我並非專門幹文學事業的人，不應該多論詩的學理了。照職業的慣例而說，我受人之財，被雇爲『分析匠』，就于文學有所見解，也不過是飽食暖衣以後的空論了。與其高談闊論，上徵下引，不如從卑微的地方刻意的描寫。

所以我的做詩，不是職業，乃是極自由的工作。非但古人不能壓制我，時人也不能威嚇我。可怕啊，時人的威嚇！我的詩必不能見好于現代的任何一派。已經有人評我是不中不西，非新非舊。然而我所以發行這本小冊子，就爲他一時不能見好于人。我這樣的不顧體貌，倒也有些方便之處。

第一呢，我對于種種不同的主義，可一概置之不問。浪漫也好，寫實也好。只求我的浪漫不是千篇一律的浪漫；我的寫實不是寫科學的實。寫科學的實，寫科學好了，何必記賬呢？記得上好，也不過像杜甫的「三月三日天氣清」而已，何用新詩？

第二呢，我決不敢用我的詩做宣傳任何主義或非任何主義的工具。譬如社會經濟問題，當然是我們一日不能忘的。然而請看俄羅斯的奴隸每天寫五行十行的爲馬克思捧場，這樣的要命也是太可憐了。我是耶穌的信徒，我的詩不擁護什麼宗教制度。我提倡女子解放，我的詩不鼓吹打玻璃窗。我作詩只是爲己，不願爲人。我沒有徹底的主張，也在此自寫供狀。

我在供狀的末了，還望讀者原諒我心裏最後一層不能解脫的衝突。我的詩歌裏有一個信條，以爲創造時不許絲毫雜以道德的觀念。不自由的人生苦不能達到最自由的目的。善惡的判斷常和美的享受相爭，而且我的性情容易使我記憶醜陋的影像，罪惡的名詞。那恐怕是我終身不能逃避的了。「罌粟花」「又是心裏的衝突」等是我最苦惱的詩，又可惜辭不達意，使我更難受了。曾經這一番衝突的人當能知我。

十二年二月十一日陸志韋序于南京。

自序

我的詩的軀殼

我兩年來純用白話做詩，而做散文反是隨興所至，白話文言並用，豈非意志不強，主張不能貫徹麼？朋輩中排斥白話詩的居大多數。其中寬大一些的，承認白話有通俗之功用，不妨隨其自然。至于做詩呢，與其用鄙陋的白話，還不如搬運韻府摹玉，摹做六朝唐宋的好。我的意見和他們的正是絕對的相反。我以爲爲普通交換意見之用，白話文言不必有所分別，唯一的目的只求達意。然而文字的功用決非尋常『達意』兩個字所能一網打盡。據現勢而論，至少有兩種文體要用白話，第一是論理數學等說理的文，第二是詩歌小說等寫情的文。說理文所以必用白話，因爲我們現在濫用文言，

8

于分析一道太不講究，去名正言順的目的已似一代遠一代。我常笑高談佛法的先生們把印度的名詞成河成海的倒給我們喫；我們直了喉嚨吞下去，從沒有機會把論理的滋味辨一辨。祇有一部攻人有餘，自守不足的唯識論還給我們一些討論的餘地。只是我們懂不到半分，已是汗流浹背了。用了白話多好呢？又像宋元明的語錄，作者明知文言不濟事了，偏又不能完全把格局變換。然而理學家的販運名詞已不及佛學家的便宜了。再進步一些，豈不更好呢？

至于詩歌小說，我的主張用白話比說理文更為積極。精通小學的人或者還能用文言寫一篇明白精細，一無遊移的說理文，惟獨寫情的文必須文言一致，否則不能達到文字最高的可能。這是我從語言心理學得到的很和平的主張，並不曾

自序

雜以絲毫意氣。我認語言是抒情最妙的工具。我又認最能寫情的文字是與語言相離最近的文字。我又胆大的冒了縉紳先生們的大不韙而說中國近代的文學遠不及西洋近代的文學。這在我沒有精細研究文學的人只算是一句不負責任的話。笑我罵我，我决不反唇相譏。

無論如何，我已走上了白話詩的路，兩三年來不見有反弦更張的理由。我這本小冊子逕自出版了。我于我的詩的形式一方面要略略的有所說明，就是我所謂詩的軀殼。希臘人的理想要美的靈魂藏在美的軀殼裏。

我和舊詩的因緣斷不能當『研究』兩個字。研是磨也，磨做藥末子也。究是窟也，有洞必鑽也。磨末鑽洞的功夫，除了幾個專門家誰也不敢承認。十五年前士人家的子弟循例要

自序

讀幾部唐宋人的詩集。我想凡有普通聰明的人讀了杜老的七古，沒有不受感動的。現在十五年之後，無意之中時常背誦他落魄的詩。非但我的人生觀受了影響，而且我的白話詩的形式有時逃不出他的範圍。杜老之外，我感謝二李；李白不在其內。中國的情詩以李商隱爲最高。後來不知女子有人格的批評家把他同無賴並列，豈非寃枉。我的詩裏不免有晦澀的詞句，義山應爲我負一份責任。還有一李是李賀。我所以歡喜他，自己也莫名其妙。只是『空將漢月出都門，憶君清淚如鉛水』，有無窮的音樂在裏頭。他的詩名爲『歌詩』。唐代樂府的曲調現在已是尋求不到的了，仍不由我不企慕長吉。我前一年做白話詩，有時爲了一個字的聲調把全首更換了好幾次，那是長吉害我的。近來我才知道以前所抱的是不正當的態度。要在詩裏找歌的美，自己先認錯了目的。最近我讀 Parker 的美學，論到 Wagner 創歌劇的失敗，說詩，音樂，戲劇三者各有各的使命，斷不能勉強把他們兼併。以後我也要同李長吉分手了。除了一杜二李，其他詩人給我的影像都是很模糊的，總嫌他們摹做的習氣太深而已。白話詩固然不能完全超脫古人。至于像魏晉的學漢，王次回的學杜，那未免太苦了。就學像了怎麼樣呢？

我費在西洋詩上的時間反比中國詩多些。眞能有些領會的也祇限于英美兩國。其他因文字的困難，只有法文德文還能刻苦讀幾首，說不到『領悟』。前幾年讀的都是維多利亞期以前的作品。那時候我的欣賞在 Byron 與 Wordsworth 之間。近來受了新思潮的刺戟，漸漸讀些新詩。讀一回有一回的失望。即像 Tagore，我初讀了大有愛不釋手之勢。Gitanjali 我讀了好幾遍。究竟是單調的作品。現在當可回去讀久已埋沒了的 Browning。

因此我的詩不敢說是新詩，只是白話詩。倘使 Lowell 與 Wilde 才算新詩，我還是萬世做奴隸的守舊罷，還是爽爽利利的讀我們的杜甫罷。

我從文言變白話，並不曾爲了一時的好惡。我的詩的形式經歷過好幾回的蛻化。就這一本小冊子裏還找得到好幾期的化石。我在八九年前第一次破除了四聲做長短句，先輩只賞了我四個字的斷案，『平仄不調』。後來就用白話填詞。如今看來，沒有一調是自然的。倘使有人下了死功夫，『漁家傲』，『東風第一枝』等長調或者都可以應用得純熟。只是現在已是不能歌唱的死東西，用下功夫去也不值得。所以這一條路我不再去嘗試了。同時我又準了古詩的格調，試用白話改寫。譬如這本小册子裏『憶鄉間』，『苜蓿五章』等詩是『衡門之下』的變體；『臺城看種菜』，『紙錢第二首』等詩不改一字，就可當七古讀；『人口問題』，『紙錢第一首』等詩差不多就是長短句。我以為中國的長短句是古今中外最能表情的做詩的利器。有詞曲之長，而沒有詞曲之短。有自由詩的寬雅，而沒有他的放蕩。再能破了四聲，不管清濁平仄，在自由人的手裏必定有神妙的施展。

末了，論到韻節一層，我也用過一番試驗的功夫而得到一種嚴重的結論。請先論節奏。

世界上用語音的高低當節奏的，據我所知，只有中國一國。拉丁諸語用長短，條頓諸語用抑揚。可見我們的用平仄並無非此不能的原理。依心理學家說，音的強度一抑一揚，是論節奏最根本的現象。其次是長短，再次才是高低。似乎中國人的用平仄，恰巧採取了最劣的方法。又據古音學家說，平仄是長短高低二者的混合。古時長聲是平，短聲是入，無所謂平仄抑揚，正像現在拉丁語的詩法。六朝以後，才把上去兩變聲與入聲歸爲一類。揆之心理學與語音學，這種兩分法原是不可通的。就從應用的一方面着想，我國沒有平仄以前，至少已經有了一千多年的詩。訂了平仄以後，古風仍是不受拘束，只有用韻時數句一轉，算是照當時人的規矩。用平仄爲節奏，原是大可出入的。

平仄破產最彰明較著的證據是律詩裏的「一三五不論，

二四六分明」。那明明說有了節奏，平仄可以不必用的；用了平仄，沒有節奏，依舊是沒有效力的。隨便舉一句五七言詩，隨口的念下去，譬如「風急天高猿嘯哀」，他的節奏是靠平仄的呢，還是別有所恃呢？至於白話詩，更可以隨語句的意義，一抑一揚，自成節奏。我最佩服顧亭林所說，每一字可變為平上去入。

破了平仄，只有兩條可通的路了。而其中一條我們中國人看去是死路。吾國普通語沒有入聲，不分長短，斷乎不可遠追秦漢，近倣拉丁的了。現在只有捨平仄而採抑揚。

只是講抑揚也不是一言可了。英文詩沒有不用抑揚，而Common verse的一輕一重最算嚴整，自由詩用語氣的強弱最易通融。我的意見，以為中國改用抑揚，可取中庸之道。條頓語的詩大概一行要定幾個重點，不過重點與重點之間可用一個或兩個甚至於三個輕的聲音。比 Common v rse 已是活潑得多。中國一字一音，所以我們的詩體從沒有這樣的自由。只有後世人讀唐人樂府裏的『君不見』『噫嘻乎』等成語，有些彷彿。我這本小冊子裏，『罌粟花』等詩每行五節，『永生永死』等詩每行四節，每節有一兩個輕音。都須照西洋的讀法。這是我們份所應得的自由。

從又一方面說，自由詩有一極大的危險，就是喪失節奏的本意。節奏不外乎音之強弱一往一來，有規定的時序。文學而沒有節奏，必不是好詩。我並不反對把口語的天籟作為詩的基礎。然而口語的天籟非都有詩的價值，有節奏的天籟才算是詩。當代為新詩運動的先生們連這一些選擇都在排斥之列，以爲這樣就不免限制美術的自由。我不能不說這種豪放的主張顯然因誤解美術的意義而發生。美術應切近人生，不就是人生。詩應切近語言，不就是語言。詩而就是語言，我們說話就夠了，何必做詩？詩的美必須超乎尋常語言美之上，必經一番鍛鍊的功夫。節奏是最便利，最易表情的鍛鍊。節奏的來歷有遲有速，有時像現成的，有時必須竭力經營的。大有個人的不同，一個人的心境也時有不同。半靠經驗，半靠天才。不須由旁人固執成見。

以上說明節奏的不可少，此外是韻的問題了。韻的價值並沒有節奏的大。不過我們中國自古不曾有過無韻的詩，這一層最難使人領會。自非大聰明的，斷脫不出前人的窠臼。因此我做無韻的詩要比有韻的詩格外留意幾分。好幾次寫成了自由詩，愈讀愈不能自信，又把他們改寫爲有節有韻的詩。

我的無韻詩可分爲兩類。第一類是有節奏的自由詩，例如『雜感』五首，一二五完全無韻，第四首一部分無韻。我不擅用這種體格；愈寫得長，弊竇愈多，所以只用於短的抒情詩。『治喪』一首有些不像詩了。第二類的無韻詩祇有『農夫』，『弱者』，『愛蓮』三首，所用的格調是西洋已經不適用的 Blank verse，每行五節，每節一抑一揚。我沒有把他運用得純熟。我信 Blank verse 極合乎中國人之用，寫記事詩尤爲適宜。他的效用與長短句不相上下，只是變化少些。

這本詩十之八九是有韻的詩了。我押韻的方法顯出我的作品不是新詩，只是白話詩。我且把他一條一條的分列出來。

（一）破四聲。 我用節奏倘且要廢平仄，押韻當然不主張用四聲。宋人塡詞以上爲平，以入爲平。明明不拘四聲，偏要爲六朝人留面子，反不如一刀兩段的好。

（二）無固定的地位。 有時間行押韻，像『倘使』，『夢醒』。有時每行有韻，像『流水的旁邊』，『子夜歌』。更有時每行間迭起韻，像『永生永死』。而且押韻不必在韻脚，只看一行最後注重那一個音，就押那一個音。像『如是我聞』全首押在間行末了第二個字。甚至一行連押兩字，像『功人』押『忠臣』，都以語言爲重，形式爲輕。至於胡適氏所引陸游的『我生不逢建章柏梁之宮殿』，我以爲沒有摹倣的價値。西洋人比中國人用得更討厭了。

（三）押活韻，不押死韻。 用國語或一種方言爲標準，不檢韻書。中國現存的韻書，無論在語音史上的價值怎樣的大，用以做詩簡直是可笑可惡。譬如廣韻把上下四方的韻混在一起正與大多數舉手統一國音同樣的不合情理。我看韻書一切都不可用。我是浙人，必須要時押浙江的土韻。否則盡我之能押北京韻。此後我用浙韻時，註明浙韻。

我曾有一種企望，把京音照廣韻的方法分爲幾十個韻，不再分平上去。王璞的京音字彙說京語有四百○四個音。數目各家互有出入。我的分韻原不過一時應用的事業，又僅僅爲一個人的利益，不妨就用王璞的表爲根基。下表是我綜合的結果。

一，ㄓㄔㄕㄖ（支）二，ㄗㄘㄙ（思）（一二同用，南方的方言大都有精清等母而沒有知徹等

自序

母。京語似也不必分韻。廣韻不分，中原音韻似分而未分。）三，一（微）四，ㄨ（模）五，ㄩ（魚）六，ㄚ（麻）七，ㄨㄚ（花）八，一ㄚ（家）（六七八同用）九，ㄛ（歌）十，ㄨㄛ（戈）（九十同用）十一，一ㄝ（皆）十二，ㄩㄝ（靴）（十一十二同用）十三，ㄞ（來）十四，ㄨㄞ（懷）（十三十四同用）十五，ㄟ（雷）十六，ㄨㄟ（灰）（十五十六同用）十七，ㄠ（豪）十八，一ㄠ（蕭）（十七十八同用）十九，ㄡ（侯）二十，一ㄡ（尤）（十九二十同用）二十一，ㄢ（寒）二十二，ㄨㄢ（桓）（二十一二十二同用）二十三，一ㄢ（先）二十四，ㄩㄢ（全）（

二十三二十四同用）二十五，ㄣ（眞）二十六，一ㄣ（侵）二十七，ㄨㄣ（文）二十八，ㄩㄣ（欣）二十九，ㄤ（陽）三十，ㄨㄤ（光）（二十九三十同用）三十一，一ㄤ（江）三十二，ㄥ（庚）三十三，一ㄥ（青）三十四，ㄨㄥ（東）三十五，ㄩㄥ（兄）

上表三十五韻，通轉之後只剩二十三韻。先全或可通爲一韻，陽光江爲一韻。擴而充之，歌謠裏每每眞侵文欣爲一韻，庚青東兄爲一韻。西洋詩裏有時眞侵通庚青。徵通魚，更爲常有之事，中國時亦有之。這樣任意通轉並沒有用嚴格的語音做標準。正像陸法言所說，廣文路，賞知音，目的原來大有不同。

可見我們能用京音押韻，必不像用南方方言的困難。比英德文更不知容易多少。主張專門做自由詩的先生們未免太願意受西洋的傳染病了。

此外作歌有時不能不分輕重高下（四聲）。西洋沒有平上去，唱到一句的末一音可隨意升降。我們中國可沒有這種自由。所應特別注意的尤其是雙韻。譬如「小」押「笑」，作詩時斷無不通之理，作歌就須得看曲調的性質了。我看做中國詩比西洋詩容易，作中國歌比西洋歌難。

我的詩的軀殼解剖完了。我的意見，節奏千萬不可少。押韻不是可怕的罪惡。同當代諸公的信條不免有些出入。所以我的詩不敢說是新詩，只是白話詩。

十二年二月十三日陸志韋序於南京。

獻詩于保和

所以在佛殿前種臘梅，
淨瓶裏供天竹，
爲要獻一瓣一瓣的誠心，
一顆一顆的快樂。

我到功利的園裏
採一籃最不值錢的花果。
到有一天雪罷天晴
送給我的老大哥。

（十一年一月二十六日）

航海歸來

老弟呀，向前不到一箭路，
這幾天惡浪頭山樣高，
也算經過了一番辛苦。
前面是我們家山的影子。
月輪正掛在桃樹背後，
一斑斑射到港口的亭子。
記得那一年春風來得早，
催醒了一個羞澀的桃花。
媽就說天公這樣好那樣好。
又是那一天茅亭頂上，

着眼望海上來的燕子；
什麼事都不曾掛在心上。
老天忽然隨着桃花醒了！
天邊有隱隱的兩片白帆。
那一刻這航海的生涯定了。
這幾年看盡江山飄盡海，
早知道益近家鄉心益苦，
那我又何苦來：我又何苦來！

（九年一月）

自負

詩仙，我不認識公子王孫，
也不會唱梵王宮殿，
只爲了那一天晚上，
偶然跑到了土地廟前
同幾個紡紗賣布的婆婆
講了一黃昏柴米油鹽。
詩仙，我家裏有一棵枇杷樹，
我從小就採枇杷出身。
桑葉包送給鄉鄰姊妹，
門縫裏聽見隱隱的笑聲。

河 濱

我沒奈何到河邊弄水，
樹影裏見幾片蛇形鬼形。
我一生總忘不了那些事，
我常唱山歌不願做文章。
我就到皋田院捧灰塵兩手，
到你臺前我獻的是仙方。
山前午後東風來。
吹一陣殘花落地。
詩仙，我不求別的，
單要一些孩子氣，
把落花收拾起來
藏在一個葫蘆裏，

再回到土地廟前

替你散花做奴隸。

（九年三月）

九年四月三十日侵晨渡Ohio河

渡江而南是Kentucky暮春天氣。
梨花顏色被南風逼到大江兩臂。
江南好，也在梨花開得早。
且放下北方滿面風塵，
看梨花，看箇飽。

　江南有人早起到河邊去作黃牛。
江南的河邊有梨花落上橋頭。
我今天對梨花下江南去，
把幾年得失散在江南路。
所以我依舊是自由人，

來看江南梨樹。

青天

我不見你，像揚子江下巫峽。
我夢見你，像揚子江正對金山塔。
我見了你，像吳淞口外邊，風平浪靜。
兩片白雲，青天一刹那。
河水的深不及海水的深，
海水的深不及青天的深。
青天裏來了兩顆明星，
我千山萬水之中對這一雙眼睛。
河口有沙灘，海邊有石子。
河水去，沙灘變；海水來，石子動；

渡河

總逃不了對了青天過日子。
青天，青天，
祢近在我的心邊，
遠在我的眼前。

一朵蒲公英

——調 The Groves of Blarney——

（一）

春天一朵蒲公英
　開在楡錢的旁邊。
那冰天雪地的威權
變成樹裏的青烟。
　這單獨的冷生涯
　誰能憐惜你？
若論春日的先鋒，
　你原在一切花前。

渡河

（二）

東方日出的時候，
誰來看你早梳妝？
你就沒有個知己人，
你有愛你的日光。
你辛苦了這一生，
還倔強到底。
比你後來的薔薇花
穿了緋色的衣裳。

（九年秋）

12

兩個人

你我倆，手握了手，
坐到更深人去後。
滿天星照着芭蕉一片淡。
吾頭髮裹了山頂的雪痕，
我的心腸像山澗水亂轉。
吾眼淚不在你面前流，
你是天上的忘憂使者。
明朝束腰上路，大難還不在謀生。
我東南西北，什九是爲報你一些恩。

（九年六月）

病中念父母

如今想起來，我的父母
也是平平常常的兩個人。
我總說我母親的頭髮長而黑，
像一幅簾子，可以遮沒我的全身。
姊姊說倒也並不十分長，
說我的話只算有三分眞。

有一天吾母親淸早起來，
把頭髮梳了又梳，梳了又梳。
我猜不到晚上出了什麼事，

只見他眼眶裏帶了憂又帶了怒。
我問他說：『媽媽，我們那裏去？』
他回答說：『到姑母那邊住去。』
啊！爲什麼？他的姑母死了丈夫，
賣盡了田地，在寺院裏做道姑。
只是我們何必去投道姑？
吾父親爲什麼總是不作聲？
爲什麼叉了手走來走去？
吾母親動身了！
吾父親立定了！
只聽見箱子環得得的響；
母親的眼淚像一陣急雨。

渡河

「母親，你決不能下這樓梯，
萬事有我在。」
就捶死的扭他的衣襟，
扭得衣襟壞。
好了！我父親出來了！
這滿天的烏雲好推開了？
父親來，放手在我的頭上，
我的手牽住了母親的手，
究竟呢，我們三個人都在樓上。

以後我可記不起來了。
我的祖母來了，我的姊姊來了。

16

大約又鬧出別的事來了。

（九年九月）

晚上倦極聽 Schubert 的 Ave Maria.

潮聲平了。
蟬聲停了。
落葉聲爲是風定了。
澗水聲被枯樹枝兒亂盡了。
蝙蝠聲劃破了我的鐵石心了。
「你摩拳擦掌果爲什麼？
你的上帝豈不是無形無像的？
你眼前一大堆苦惱人
有幾個肯同你一般思想的？」
朋友，我的心是一堆大礬石。

到我這裏山澗水左右分。
前幾年秋水發，把藤根冲去了，
這一塊磐石也險點兒站不穩。
又過幾年，逢到大旱，
那藤根一叢叢變了枯柴。
赤裸裸的一條大路上，
幾次革命，把我磨刀壞。
只是我仍舊站着，
眼巴巴望到開春，
野風吹得種子來，
教我怎能不長藤根？

（九年九月）

搖籃歌

寶寶你睡罷，
媽媽爲你搖着夢境的樹，
搖下一個小小的夢兒來。
寶寶你睡罷，
媽媽爲你揀兩朶紫羅蘭，
送靈魂兒到你笑窩裏來。
寶寶你睡罷，
媽媽爲你留下些好辰光，
你醒來，月光送你的父親來。

交遊中有幾位要在年前做父親母親了。
預先爲他們唱這個歌，就算是「窮教員」
的「湯餅之敬」。

（九年秋）

有憶

（一）

我的朋友有『明鏡』，
去年掉在青草裏。
不是今天重想起，
忘了已經忘了你。
自從忘了你『明鏡』，
仿佛忘了我自己。

（二）

你是牆角裏的梧桐樹。
我把裁紙刀在你身上

刻下了我的生和死。
那手痕跟你長起來，
我倒忘了刻的什麼字。
只是罷了，自身註定了，
我見不得梧桐和刻字。

（三）

清早有個鬼在我心頭懺悔，
一聲聲的敲得木魚兒碎。
鬼說：
「既是黃海裏溢出來的魚，
正好在海邊的沙灘上死。
但願黃海伸出手腕來，

渡河

父母之邦死也是個好去處。

就有造物者把這世變重新捲起，

也救不得一個已死之魚，一件已成之事。

但願黃海伸出大慈悲的手腕來，

帶我到無所不容的水裏去。」

（九年十一月）

愛心

春天沒田種，夏天不灌水。
秋來折着腰，到處拾剩穗。
我收集人家剩下的愛心，
折斷了腰也救不得性命。
我爲救性命折腰到如今。
鄉鄰憐我苦，給我一升米。
明知嗟來食，不堪養兄弟。
我喫的是哀憐不是愛心，
我還折了腰謝我的鄉鄰，
我總爲救性命濕了眼睛。

渡河

快種一斗豆，快種幾畝稻。

今年不努力，明年餓死了。

那裏有不勞而得的愛心。

曉星種起直種到黃昏星，

若要救性命走斷你腳脛。

種豆一萬石，種稻一千頃，

逢到大荒年，散與陌路人。

（九年十二月）

將來

我勞苦倦極的中國人，
你將來享到了太平，
不要忘了我今年
掙着流淚的眼睛，
爲了你半癡半詐的
發這些快樂的聲音。
將來經過了大殺伐，
我悔罪改過的中國人
從田裏移去了死屍，
城牆上洗去了血痕。

渡河

街上又種了兩行梧桐樹，
又種了桃樹和楓樹。
楓樹裏有尋常的家庭，
一個十一二歲的女孩子
朗讀我今年所寫的詩。
今年褰了破絮烘山芊的，
到那時候搖搖白髮，
笑嘻嘻看那個女孩子。
我勞苦倦極的中國人，
我們總有一天到這迦南福地。
我們在未死以前，
總望得到這迦南福地。

28

我今年要多發些快樂的聲音，
一半是爲了將來的你。
但是現在呢？但是現在呢？
前幾天從唱經樓東街過，
地上濫雪拌的是汚泥。
一個不成年的洋車夫
赤了脚，穿了破夾衣，
拉了一口白的，薄皮的空棺材，
像黃牛喘氣一樣的向城南去。

（十年一月七日）

破曉自馬府街步行至花牌樓

我皮鞋聲比尋常有十倍的響。
白天又快就到了。路旁人，路旁人，
倘使我眞的驚破了你的夢，
還望你寬赦我罪惡之深。

破絮稻草之中，你還能做夢麼？
夢來，比無情的日光只早了一刻！
夢呀，快領我們到苦腦的極頂。
我們枉苦了！這樣低賤的生活！

夢中人，我但願火燄不能傷你，
我只要恭喜你父母妻子團聚。

兵來了！兵來了！快刀刺到你心頭，
我把我震天響的皮鞋聲來救你。
夢中人，醒來罷，你們同是一樣苦，
白天裏，還苦得老實些，乾淨些。
　夢中人，我再不敢爲你說將來了。
只是我活，我做夢，單爲將來。
我總想把一部分的夢境分給你。
我們同是做夢的，你也說出你的夢想來。

（十年一月十九日）

憶Michigan湖某夜

那一天夜半，Michigan帶來萬古的回聲。
我陸某是何等樣人，
還敢留一些彼我之見，
爲過去的恩讎，握空拳，咬住牙關，發憤。
自Michigan以西二萬幾千里，
有夜叉搬運着罪惡的結晶體，
造起一座煩惱的城池來。
那城上的夜叉，城裏的骷髏，都是我的
兄弟。
Michigan湖只有萬古的回音，

渡河

教我把痛苦的良心，狹窄的私情，
放在一片浪花上，眼望月光盡處。
Michigan 送了浪花來，一定會帶浪花去；
我眼前一曲沙灘，背後一帶柏樹，
在這萬古的聲音中，不向月光訴苦。
柏樹，月光，月光，柏樹，
你們是Michigan的，不是我的。
我對面的人，我心頭一切憂慮恐怖，
你們是全世界的，不是我的。
我此刻記不得過去，又步不成將來；
且踏一片浪花，跟萬古的聲音，回到月光盡處。

（十年一月二十二晨）

十年一月二十五日念大島某

除非我們尋常人說得幾句責任話，
他們總有一天把這黃海搓在血碗；驅使我們；
像猢猻樣看待。

大島，大島，我們的讎敵都在我們自己的
門裏。你在福岡切不要多睡。
你胸前毒養過的刺刀單靠一根頭髮掛着，那
頭髮還是你自己的血肉變出來的。

大島不要怕。這黃海兩岸，只要有人愛山，
愛水，愛上帝，愛美人，我們愛心聯起來的，
他們十萬把鋼刀斷不來。

同日又念 Koch

我離開芝加哥的一星期，爲我彈貝多文第五章的，可不是你麼？

從來說窮人氣量大。我允許你到了中國，上揚州爲你買牡丹花；可惜我忙了半年，孤負了牡丹和你。

唉！條頓人中有幾個能把支那人當牡丹看！

臺城種菜歌

梁武帝，稱同泰，
只要喫素不種菜。
城上跳出侯景來，
沒有當他菩薩拜。
種菜原來不會窮，
臺城南面好過冬。
西北風吹屁瀏濱，
來看我的雪裏紅。

雪裏紅，劃起來，
明天挑到府東街。
貧富人家都來買，
湊錢還了柴米債。

（十年一月二十八日）

「弟子也曉得了」

（桃花扇李香君道白：「弟子也曉得了，」是全部傳奇第一句傷心話。）

（十年二月一日註）

可憐蟲困守了「玩偶之家」。
「山窮水絕，你還曉得什麼？
門前有大路，你快些出來罷。」
可憐蟲連頭都不轉過來。
「你不必牽涉感情來欺侮我。
經過患難的人管什麼赴湯蹈火。

你還是富貴場中去說自由，談因果。
你解放了別人，再來解放我。」

臺城下有一個新墳，墳圩上寫的：

「陸軍某師步兵某團某營某連某棚
副兵某人，河南信陽州人」

一層壓一層的制度！

死兵，我們也不能多怪你。
你只為荒年走了差路，
他們就把你捆縛為奴。
你始終只喫了半飽，
買你的人倒成了大財主。

其實你死了清白得多。
你不殺人，不搶人，
免不了挨飢忍餓。
那千人指，萬人罵，
還不如今天臺城路上一堆黃土。
　凡是慈悲能赦罪的人，
來弔異鄉之鬼。——
唉！恩各有門，怨各有主。
披髮，流血，吐舌的厲鬼，
你曉得中國人何等受苦。

王三死了

東門外邊太陽又照到打魚船上。

打魚人家今天收拾了新網舊網。

寶盤的阿嚴說：『我的讎家王三死了。

他不枉一死，只是苦了他的妻子了。』

四更月黑，橫風把纜繩根根吹斷，

打魚船像一片一片的敗葉，隨風亂轉。

王三的妻子聽見湖上有號哭的聲音。

那是阿嚴，那難道不是阿嚴的父親？

王三冷笑說：『好呀！阿嚴是我的怨家。

好大風！我今天借你的刀殺了他。』

渡河

王三的妻子聽見了，像快刀割破了良心。
『阿嚴有妻有女，還有年老的母親。』
『王三，你眞的不肯去救他麼？王三。』
『這是天大的事，還說與你不相干？』
電光一烱，王三見他張了怪眼，
一叢亂髮襯帖了死灰色的臉。
船艙外面就是猶惡自殺的湖。
王三！一生一死，都在這一刻工夫。
後艄上有一個人跳進活地獄去，
王三究竟去救人了！救人救到底！
王三的神呀，來護衛王三的一家！
他的妻子暈過去了，你來保護他。

渡河

天亮了，風定了，打魚船又聚在堤下。

王三抱阿嚴的父親，死在楊樹底下。

打魚的人說：『我們的骨肉王三哥，

我們有良心的，總不教你的妻子受苦。』

就進城典了衣服，買了一口棺木。

王三的妻子不能哭，所以他們不敢哭。

某車夫言

楊柳樹多半已經枯死了，
一團團的影子睡得好嬾。
儀鳳門來的車夫緩步走，
左手一把汗，右手一把汗。

「端午帥，端方，聽說他是韃子，
革命黨冤死他，把他殺死了。
做官的都像他一個樣子，
我們小百姓也不至於此了。

這一帶楊樹，前面的，那邊的，

渡河

一棵棵都是他手栽種的。
我還記得淸淸楚楚的。
密密的沒有一段路空的。
那一定是冬天，我的老子病了，
我幫他推車，兩隻手好凍呀！
樹苗只有車榦子的粗細，
他老人家說：「那有什麼用呀！」
好熱！還虧得這幾棵楊樹。
樹葉子倒像有一些動。
我們拉車的眞算不得人，
這一條路總是走不通……」

46

又在蘇州城上見蒲公英（十年二月五日）

我在酷暑的晚上望黃昏星，
猶是我今天西北風裏見蒲公英。
蒲公英從城磚裏鑽出來，
已經消磨了大半精神；
再想不出什麼方法來
去邀我們所希望的春聲。
我那敢說你是無濟於事的？
我們的事業都半是嘗試的。
你鮮明的黃色像母親一樣安慰我。
就使勞而無功，我也照我的良心做。

幸福

早上，有一隻淡綠色的蝴蝶
從紫牽牛花飛到紅的牽牛花。
挑重擔的見了，把重擔放在路上，
好幾天的怨恨像烟消霧化。

我見了，靜悄悄的走到花邊，
兩個手指把蝴蝶那一撮。
他原來不是我的 所以撲撲的動。
不多一會，損壞了好些顏色。

渡河

我得了一件殘隙不全的東西，
倒像失掉了主意，忽忽忙忙的。
放在手裏沒有用，隔在書裏罷，
釘在牆上罷，總不免要損傷的。
我仍舊放他在光天化日之下，
從紫牽牛花飛到紅的牽牛花。
挑重擔的見了，把重擔放在路上。
我見了，我的貪心立時隱化。

（十年二月二十一日）

瀑布

儘有別人的頭髮强似你的頭髮。
儘有別人的身子還比你的瘦弱。
日升日落，你總是活潑潑的。
月生月死，你總是冷瑟瑟的。

無端跟你下山來，
在這多青林下過，
你也不知何處去，
我也不知何以故。

或有一天，
我們到了海邊，

聽潮音為你我說因緣。
我們這一次來，料不是偶然的。
待我送你到大智慧者面前，
了這一番心願。

（十年二月二十一日）

黑影兒

（一）

身上穿的百結衣，
窗上糊了舊報紙。
北風吹來倏颼颼，
喫飽的人還凍得要死。

＊　　　　＊

那一天是舊曆年初三。
巷口禮拜堂的鐘聲
傳某某先生來說教，
說天堂地獄嚇窮人。

* *

曇花一現的濟貧捐
　那救得一家鴉片毒。
年前教裏人送乾果來，
反惹得小孩子一夜哭。

* *

六點鐘，禮拜堂散了。
　街上一大片「耶穌愛我。」
他的丈夫呢？等他，等他，
　上了一點豆大的火。

* *

到了黃昏，天氣更冷了。

那小孩子顫個不停。

小雞避在母雞翼下，

兒也不做聲，娘也不做聲。

（二）

一個黑影兒跌進來，

低着頭坐在竹櫈上。

那孩子見是父親來了，

格外緊靠在娘身上。

* *

那一刻，街上靜悄悄的。

一盞燈只是撲撲的跳。

黑影兒說：「油沒有了？」

「沒有了，到那裏去耍。」

（三）

太陽光一道道的橙色。
那孩子捉捉眼坐起來，
斗大的兩個蜜橘
怎會飛到他家裏來？

*　*

竹欖上的黑影兒醒來
也只當是一場大夢。
身邊冰冷的蜜橘
被太陽光照得通紅。

*　*

「這是你的，這是你媽的。
　我從沒有買個禮物……」

當年蒯徹喜封侯
　比不到今年今日！

（四）

原來那一天禮拜堂散了，
　黑影兒從自己門前過，
以前三十多年罪孽
　烱烱的像一羣螢火。

*　*　*

黑影兒停了一會兒，
　煙癮帶着死的形狀來。

進門來，又見不得妻子，
煙癮又一陣陣冷上來。

* *

就跟了一般人走了。
走不到二三里，都散了。
屋角上半分月色，
孤魂兒更覺得淒慘了。

* *

「做人只要立定主意，
做人只要立定主意。」
牧師說：「你完全悔改，
神不要你別樣獻祭。」

渡河

＊　＊

黑影兒眞能悔改麼？
岔路上有一家燈火，
是賣春捲趕賭場的，
正等着有人去幫忙。

＊　＊

做工，做工，二更過了，
三點鐘換得八十個錢。
門前賣蜜橘的走過，
那是黑影兒第一次過年。

（註）：去年讀John Masfield的The Ever——

lasting Mercy，覺得他的經驗和我的大不相同。教會裏有舊歷新年播道會，所以想起了這幾章詩、

（十年二月十三日）

向晚

輕風從葡萄架底下過，
　葡萄架發出微細的聲音。
一日的苦工換一刻休息，
　來數數一顆顆才出來的星。

＊　　　＊

上帝，我這幾天離你更遠了。
　並不是我忘了他們的苦樂；
可是我看慣了，冷心了，隨便了，
　世上的虛華就來牢籠我。

＊　　　＊

我前年在向晚的時候默想，
確實摸得到他們的痛苦。
上帝就派我做他們的人，
我不應該再想埃及的肉粥。

（十年二月二十二日）

寄保和

甯讓旁人說人心險如鬼，
我靠了我的迷信立身。
這世界究竟還有幾個人
不肯把功利算至上乘。
還是這少數人有俠氣，
像快刀切菜，像蒲鞋踏雪，
像悶熱的下午來一道朦朧，
像平淡的天空有淨滿月。
你說你家裏有妻有女，
一口冷飯總是要吃的。

這一口冷飯能磨鍊節氣，
倒也能逼死全無魄力的。
總不要爲這幾年的束縛，
使一杯美酒變成酸醋。
我們的快樂超出一切苦，
山上的野花笑山下的迷霧。
朋友，我們刻苦做人，
外面的緊張像皮製箭的。
倘使你把裏面的快樂消滅了，
再教我到那一處去休息？

（十年三月四日）

我的事業

（一）

已經好多年了，
不是我的心願了。
然而向午時候
長春藤讓開一線路，
仍舊有懇切的日光
照到很可憐的菖蒲。
菖蒲的失望
一夜一回哭，
菖蒲的希望

一日一來復。

（二）

我在困苦的生命裏
做登天的事業。
把已經死去的希望
當做石級。
我還靠這已經死去的希望
同山下的人相接。
　再希望幾回，
　再失望幾回，
　再死幾回，
就可同山頂上得勝的人並立。

或者上帝曉得的，
我的失敗就是我的事業。

（十年三月十五日）

動與靜

夏天沒有到，
知了先知了；
抱了楊柳條，
隔月不換調。
這叫做半生半死，
這就是老生不老。
據我冷眼看來，
這也是菩羅門的大道。
下山來，泉水匯合了河水，
浪花回打到杜鵑花上。

一羣鯽魚在那裏迴繞，
翻起一大堆七彩的光。
知了十九年的夢生活
還比不上鯽魚這一刻。

（十年三月十八日）

牆邊白梅早開，紅梅來時，白梅都
已謝去。

總是花開花謝，
爭得半個遲早。
昨天才送白梅老，
今天又見紅梅了。
送白梅來的，春風像剪刀；
送紅梅去的，有叫不了的癡鳥。
忽然叫到心坎上，
我們的女子換一通新色調。

白梅去，紅梅去。
那一朵花兒不老？
只有女子的心腸不老。

（十年三月二十一日）

靡儂 Mignon

消盡阿爾坡山的紅雪，
洗不淨你臉上兩朵臙脂。
教你出風塵的，
靡儂，他有什麼不知？
感情有流不盡的泉源，
是意大利人的黑眼睛。
你只是對他看，
反使他多了一番心。
感應倦極，感應心碎了，
他只有你一個小知己。

你準備着跳舞，
爲他唱『有一處極樂地』。
（"Kennst du das Land?"）

（十年三月二十七日）

月光在櫻樹

（愛爾蘭詩人W. B. Yeats遊新大陸，見月光櫻樹而悲，我不知其何以悲。十年三月二十九日作爲此詩，以寫我八九年前之奇遇。）

月光在櫻樹，
那一天的總溫習
早已把我的同年朋友
一個個送到黑甜鄉裏。

渡河

月光在櫻樹，
校鐘正敲過十一點。
從沒有見過這樣的妙景，
櫻樹裏浮出幾條白線！

月光在櫻樹，
我的心像天一樣闊，
我的上帝像空氣一樣近，
我見他在櫻樹下生活。

月光在櫻樹，
那一天我親自看見了。

我的祖宗夢想不到的

我用肉眼同他會面了。

月光在櫻樹，

那是何等樣的光！

我以後不再做杜甫的奴隸，

我親自見了宇宙的文章。

苜蓿五章（十年三月三十日）

黃花苜蓿，　白花菽菜，
採了一籃，　沒有人買，
苜蓿圓葉，　菽菜長梗，
一手一籃，　賣到街巷。

我愛菽菜，　又愛苜蓿，
我愛其花，　他人不顧。

我採苜蓿，　用破剪刀，
剪去黃花，　我也不要。

苜蓿菽菜，　採了半天，
採得腰痛，　一頓飯錢。

又見一種青的野花，西名叫『早春』，
漢名我倒不曉得。

我把你們當做相思子，
在你們中間劃一個圓壽字，
願我心愛的人
　永永遠遠青春。

我把你們當做莫忘我，
對你們唱一百個定情歌，
願我心愛的人
　聽見一聲兩聲。

我又把你們當做蓍草，
活不了的時候向你們拜禱。
　我情願丟了靈魂
找一個心愛的人。

（十年三月三十日）

寒食

豆花香，明天就是清明。
空氣裏有流出來的生命。
我在生命裏深深的呼吸，
豈非勝過了老僧入定。

到明天，我的年紀還要小。
你看我扐一根楊柳條，
添上兩朵半開的桃花，
說是楊柳田雞開眼了。

再高興？把我的衣襟展開，
讓豆花香吹到我胸前來。
想起了我二十多年前，
欠老天這一筆風流孽債。

所以我年來每過清明，
讀畢醫書；防愛花成病。
可惜我感受了豆花香，
就像忘了自己有性命。

（九年四月三日）

憶鄉間

（一）

榆錢正長，桑葉太老。
沿河一帶，種幾畝稻。
春水漲來，沒到平橋。
築堤三尺，還不夠高。

（二）

幾朵黃花，一團青藻，
榆錢落水，驚摸魚鳥。
摸魚生活，原不算好。
再是那年，魚蝦狠少。

渡河

（三）

平橋在後，落日在前，
老騾背我經過桑園。
桑葉雖老，桑子還甜。
隨手採來，喫得成仙。

（四）

暮天席地而看飛燕。
野薔薇花吹得滿面。
還有蒺藜與我有緣，
愛我頸項，纏得可憐。

（五）

立夏立夏，麥芽做餅，

拿幹大稱　到場中心。
張家太太　益稱益輕，
我的小狗　重十三斤。

（六）

揚州媽媽　唱楊柳青，
到我家裏，請喫點心。
在他頭上　插蒲公英，
他還說我　是頂聰明。

渡河

譯 Sara Taesdale.

（一）

Strepho 在早春來接吻，
Robin 在秋深。
Colin 只看了我一看，
從沒有同我接吻。

（二）

Strepho 的接吻開玩笑，
Robin 的不當眞。
只有 Colin 眼裏的接吻，
一天到晚的惱人。

他的情人

他說：
此地是我葬希望的墳。
今夜的月色像死的美人。
妹妹，我想他十萬世以前，
也像你爲了愛心紅過臉。

他的情人說：
你從我手裏喝這一杯愛，
隨你以前的生趣像機械，
我的愛心要使你狂醉。
我自己的靈魂變你的骨髓。

渡河

他說：

我的熱心怕就要過去。

他去了，剩的是芭蕉夜雨。

到一天分了手，你的愛

反使我以後做人無賴。

他的情人說：

聰明人，你深不可測的眼睛

還含有永遠不死的信心。

聰明人，你難道眞的失望了？

你的愛又同你的希望埋葬了？

他說：

今天，我不敢抬頭看你；

我的心像雪壓竹枝着地。
你曉得我是個高傲的人，
我信你，只是我不敢作聲。
他的情人說：
我們窗前開的素心蘭，
他要憔悴了。你來看。
這幾天你何以如此潦倒？
你已經埋沒了春光不少。
他說：
我從你手裏喝這一杯愛，
調和我的熱心和你的忍耐。
就使我的身體化灰燼，

你看我打破這世界的運命。

（十年四月十九日）

靜極

我翻開書來，才看了第一行，
一陣楊花，把書上的字跡遮蔽了。
我抬起頭來，正看見兩行楊樹
織成一條參差不齊的彎道。
脚下的粘土把我一步步的彈着，
日光和青草捧了一盤不死藥，
說：「我們的愛你，勝過婦人的愛你，
我們白白的送給你安靜的快樂。」

（十年四月二十一日）

夜半歸自下關

這條街像半透明的大理石，
　畫墨竹帶了一些綠意。
有幾個蝦蟆括括的叫，
　又是小雨初晴的香氣。
我彷彿踏進了鬼門關，
　來看這晝夜不分的死趣。
我單可以愛你們一刻；
　凡是活的人總不能不去。

（十年四月二十四日）

流水的旁邊

（一）

你爲我在流水的旁邊
造茅屋兩三間，
使我夢裏見你的時候，
也聽見活水流。

（二）

我早上到流水的旁邊，
見落花一點點。
我求他們載我的念頭
一個個向你流。

（三）

你回來在流水的旁邊，
　看看月明風軟，
愛活水像愛命的朋友
　能否爲你消憂。

（十年四月二十九日）

如是我聞

我眞是不必同你辯論，
　因爲辯論是沒有用的。
只要你自己來看一看，
　這些話是眞的，還是空的。
你來看拿撒拉人耶穌，
　就是他們說大有神通的。
他是木工約瑟的兒子，
　他自己也是做木工的。
這個人就是我的基督，
　你在城門口一定錯誤他。

渡河

他沒有督軍省長的樣子，
　你天天見他，沒有招呼他。
他們白白說了一番話，
　其實一些都沒有幫助他。
他們苦苦的要他復活，
　又只顧自己的私心欺侮他。
他有個貌是心非的朋友
　受了三十塊錢把他賣了。
聽說當他時心裏憤極，
　後來又把他當弟兄看待了。
無怪我們有罪孽的人
　竟要供奉他，當上帝拜了。

那些拜偶像的基督徒
總不會體貼耶穌的愛了。

（十年五月六日）

罌粟花

嗚呼罌粟花，
我但願忘了這世界的罪惡，
同你陌路相逢，便成兄弟。
將近黃昏，我獨自來看你，
來同你享一刻尋常的快樂。
閑靜的時候，
我看你像一隻純赤的珊瑚杯，
前面的紫荊山是天然的葡萄酒。
天呀，還是讓我痛飲這一口。
我醉了，管不得這世界有沒有罪。

一到黃昏，
罌粟花變成一盞豆油燈，
紫荊山上的暮烟變成毒霧。
我再不敢回看記憶的路，
那路上橫臥一個半死的人。

（十年五月十八日）

綠

小麥臨去，把所有春光
　傳給河邊的苗圃。
輕輕的對他們說：「這是我的命，
　我的辛苦，我的工夫。
我從白雪的手腕裏奪來的，
　你要加意爲我保護，
　你要努力爲我傳佈。」
自從受了生命以後，
　南風來同圃裏的嫩苗跳舞。
嫩苗說：「我渺小的身子，

受不了這許多。
我還是分一份給石榴樹，
分一份給夏節的菖蒲；
還有剩下來的，
留給我的死生朋友蛙哥哥。」
今天我從丹陽來，
足足看了二十多里路，
覺得能賞識這生命的，
只有槐樹下廟牆上的紅土。

（十年六月八日）

新婚後又須僕僕從公

我要靜靜的想他，
車聲轆轆轉，車聲轆轆轉。
我要親熱的想他，
浮雲如此淡，浮雲如此淡。
從我們成爲骨肉，
今夜是第一次月圓。
我們別的不能愛人，
獻這十分明月，了了心願。

（十年七月中旬到蘇州去）

花神廟

我再拜萬花之神的面前，
神呀，我願靠了最小的蒲公英
做一滴朝露，唉！做一滴朝露。
神呀，你賞我一些藝術的忠心。
花神廟的左邊流過一曲小河，
彈潛石的激弦而唱這個歌：
「我山裏來，山裏來，冬青葉裏來，
我來爲送這一片落花到海。」
花神廟的右邊一陣山風經過，
吹松葉的洞簫而應這個歌：

渡河

「我送落花，送落花，送到永遠罷，
幫襯落花瓣：我也精神疲乏。」
萬花之神說：
「拜我的未必能顯誠心愛我的，
拜我的有死而不悔的蝴蝶。」
山風和小河說：
「拜你的未必能顯誠心愛你的，
愛你的為一片落花費盡力。」
我眼看無聊的風景，
再默求藝術的忠心。
「像山風啦，河水啦，永遠送落花，
我隨萬花之神做主人翁罷。」

（對語的十行譯寄 Ihe Old Oaken Bucket）

（十年十二月六日）

壯士之歸

（一）

過山腰，看不見斜陽了。
樹梢頭忽然有銀色的光了。
壯士肩上背了包，
心打胸門嘴裏嘯。
「過了千重山萬重山，
苦了幾年夢想。
好是今天月白風清
回到我家鄉。
那一叢槐樹的前面

我有良田一頃，
我爲你種稻種棉花，
從今後不再去當兵。」
（美國俚歌 The e's a Long L ng Trail
Awinding)

（二）

「喫盡天邊甘和淡，
不及家中黃米飯。
醬製蘿菔鹽製菜，
我的饞涎墜下來。」

（三）

「黑狗，黑狗，不要蠢，

我是你的老主人。

啊，你難道是喪家之犬了？」

（四）

「家也敗了，田也賣了。

榮兒，你媽臨死的時候，

究竟說些什麼話？

榮兒，我和你上天下地

到處立功去罷。」

（十年十二月六日）

親密

口的呼吸，
心的跳。
半山裏的白雲，
白雲裏的隱笑。
待到白雲消，
我們羽化了。

（十年十二月八日）

一朝一暮

我的精神從睡眠裏產出，
從黑夜的母胎裏產出。
　太陽照着我肥皂光的紅臉，
照着我啓明星大的兩隻眼。
我的精神，這是慈悲的早晨；
這是愛你的慈母。

但願黃昏的抱我
也像慈母的抱我。
　黃昏的手在我背上輕輕的摩撫，

我的精神再不必爲怕黑夜而哭。
這是黃昏細小的聲音，
這是我的慈母叫我。

（十年十二　十六日

戰後

禮拜堂的亂磚頭
塞住了一段陰溝。
鎗珠穿透的大門
壓扁了一雙骷髏。

南山種樹五十年，
做成禮拜堂的門。
南山種樹五千年，
做得門來壓死人。

同學少年都戰死，
剩我一隻下的人。
我的死生不足道，
適者當生而不生。

（十年十二月十六日，聽Hölderlin演講後）

黑夜

我有兩眼，
黃昏星，啓明星，是我的兩眼。
我的名字叫黑夜。

我見白日手提雪衣
去遮蔽戰壕裏的死尸。
淚盈盈的回頭對我說：
「黑夜，黑夜，我來得太遲。」

所以我定要使我的睡眠

降到殺人流血的心裏。
我的疲勞，帶一刹那的夢，
隱現在殺人犯的燈影裏。

我的夢，像大雪之後，將近黃昏，
竹園裏有幾片燈火；
一隻覓食的公山雞
掠枝上的冰絲而過。

（十年十二月二十一日）

子夜歌

夜深了麽？看天河漸漸的白。
琥珀光擁護這滿山的松柏。
窠裏的小鳥沒有一些聲息，
祇有我那，脚踏路旁的荊棘。

（譯 Robinstein 的 Wandrers Nachtlied）

（十年十二月底）

倘使

倘使你回到山裏去，
山澗裏捧一些涼水，
澆澆你火熱的顏面，
享一刻沒有夢的睡……

倘使你左手提了愛，
右手牽了一切希望，
放一夜的猶豫不決
在無意識的天秤上……

渡河

倘使你為你的理想
做出一件驚人的事，
甚至於犯了大不韙，
靜悄悄的含笑到死……

倘使你對這根青草
不再問他有無究竟，
倘使你對於你自己
不再問有沒有良心……

下午，你正好渡河。
柳絲兒一根也不動。

黃昏籠罩你的時候，
你的船在山影之中。

（十一年一月八日）

望春

春天第一個雷聲
每在驚蟄的前後。
那沒有耳的毛蟲，
他也聽見了沒有？
我們傾筐倒篋的
不敢有一些隱秘，
在老『神甫』的面前
說他個水清見底。
　冰冷的時代，給我們幾個南風一般的人罷！

（十一年一月十二日）

侵晨

遠山披上了一幅輕綃，
要出來迎接他的新郎。
鷺鷥呀，你也不必再睡了，
湖面上早已沒有星光。
竹枝裏一滴一滴的露水；
天邊的樹木都醒起來了。
那從竹根裏穿過的泉水，
他的聲音也輕起來了。
遠山加上了一重紅幛，
中間畫有一隻鷺鷥飛。

白天真到了。
勞苦的聲音不知不覺的充滿了大地。
（十一年二月八日）

二月十日記所聞

（自太湖項王廟渡至黿頭渚時陰歷正月十四日。）

來，讓我來搖一櫓，
你切不要太辛苦……
今天又不是十五，
黿頭渚上何以這樣客人多？
什麼？已經打雷了？
開春只有五六天，

渡河

今年要多雨水了……

昨天洋價作多少？
米是一百三十錢一升，
比去年究竟還好……

風勢已經過了馬鞍山，
客人，要囘來趁早。

12

梅花開了

報好消息的人說：
「冬天最苦的一天
你們已經受過了。
在不知不覺之間，
東風來了，
梅花開了。」

我們又是堆金錢
要買梅花一笑。
炙手可熱的世情

渡河

教他受了怎麼好。
他爲報春從此地經過，
在我們的河裏留一個影子。
我們的不肯他眞沒奈何。

（三月十九日）

又是心裏的衝突

我聽見你的聲音叫我啦！
我眼前看不得十分淸楚。
又是我一手撐住了頭，
坐。守這一層青灰的霧。
然而這幾棵松樹梢頭，
還剩些將去未去的紅光；
因此我能愛春天，薄暮，
是我小的時候的無盡藏，
也是年來養自由的府庫。

然而我聽見你的聲音叫我啦！
人呀，人呀，你肩上的柴擔，
你看了我看，是兩個天地。
在乎你足指頭流血像流汗，
踏平了山路去換三升米……
青灰色的薄暮，
我要仝你離別了。
踏平的山路，
我也要同你離別了。

我又聽見一個聲音叫我了！

（三月四日）

又是一條路

（一）

我要雞蛋，
你給我這顆石子。
連生命的外觀都沒有，
徒然要嘗試我的牙齒。
倘使我要尋求生命，
這一些些我也不希罕；
我去到生命路上
把我的饑腸充滿。

（二）

倒是我們這粗野的南京城裏，
空氣啦青天白日的光
還不必用金錢去買。
所以你在料想不到的地方
還看得見自然的兒子。
且不管他的衣衫怎樣破，
這一時間的負手吐舌笑顏開，
足見我們的陽歷三月櫻花天十分的好過。

（三）

你們連雞蛋同石子都分不清楚。
我告訴你，這生吞活剝的世界
是永無挽回的死路。

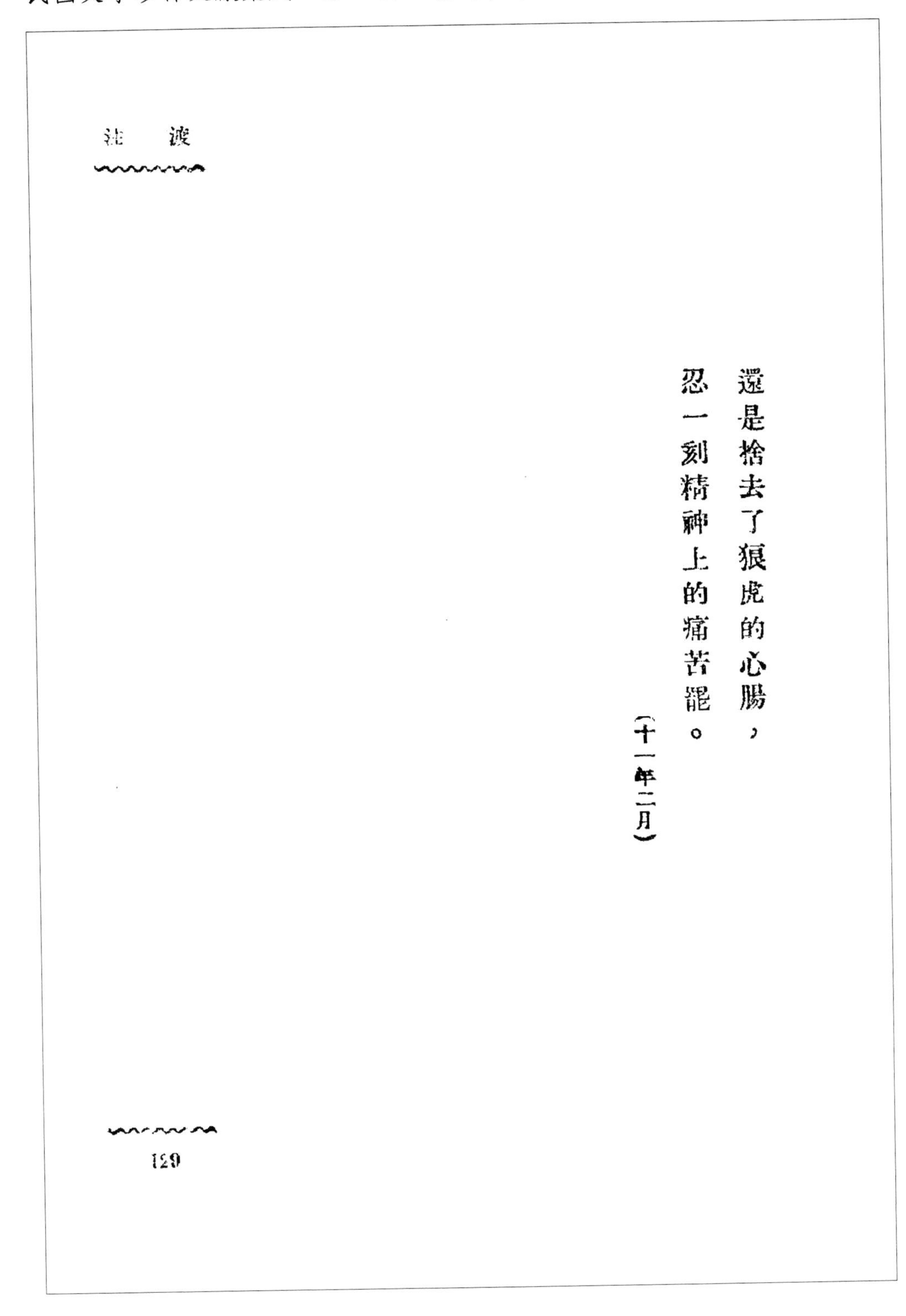

還是捨去了狠虎的心腸，
忍一刻精神上的痛苦罷。

（十一年二月）

Layla 與 Majnun.

（印度故事，Layla 以身許 Majnun，阻親命而改適。Majnun 聞而避去。Layla 嫁未久夫死，於是冒萬難去尋 Majnun，終得之大漠中，則已狂矣。）

（一）　未見 Majnun 以前

Layla 說：

我們的駱駝向斜陽跪倒，
沙漠裏講不到什麼休息。
這杳無究竟的滿眼橙黃
恐怕容不下生人的踪跡。

沙漠呀，無可挽回的沙漠呀，
我今天來崇拜你無情的死。
可憐希望煎盡了血流，
剩這一些死不了的渣滓。

* *

第一侍女對第二侍女說：
渡恆河，上雪山，辛苦我不怕。
只要有理由走沙漠也無妨。
若是他為自己的灰心送死，
那不必把我的一生殉葬。

* *

第二侍女說：

或是明天，再不然，是後天，
我們走到了死的盡頭；
這樣服事人也有了個結束。
要分手，且等成功之後。

（二）　既見 Ma nun 之後

狂人之歌：
上天下地，鵖鴣飛，
春去冬來，找故居。
荷葉同草，結拜兄弟，
荷花開，身分不齊。
荷葉蘆葦，配爲夫妻。
秋風來，身分不齊。

＊　　＊

Layla說：

他還認識我罷，
我冰凍的傷心化做眼淚流。
他不認識我罷，
今天我也跳出了生死關頭。

＊　　＊

狂人之歌：

烟和紙灰，同出一體。
烟升天，灰落地，
同出一體，身分不齊。
風吹死灰，到東到西，

不可說，身分不齊。

＊　＊

Layla說：

半夜沉寂的時候，
錚的一聲弦斷了！
悲哀呀，以前我說的讖語，
到一天相尅的時限滿了，
我再不會當毒蛇看待你；
反而要廣開經驗的門，
讓你盤據我光明的心地。
不痛苦的悲哀是我的恩人。

（三）　尾聲

Layla說：

縱橫上下

無不爲悲哀而生長，

天之生我

又何必定要有爺娘。

＊　　＊

第二侍女說：

起來罷，我們對黑夜流淚，

簡直是等於無用。

但願明天以後的太陽

照不到像今天的劇痛。

（十一年四月）

黎明聽見一聲催耕叫

（一）

就在這一刻，
帶我到大行山去。
我今年不種稻，
你帶我到大行山去。
大行山可以暫時休息，
待我們衝出雁門關去。
　烏雲鑲的白雲邊，
直的飛去一枝箭，
曲的飛去一縷煙。

（二）

凡是帶了同情的眼淚來的

那我們應當深深崇拜的。

可痛呀，我們中國人的冷心，

我們中國人的忍心，

我們中國人的狠心，

若使一聲催耕叫

穿得透這重鐵板，

我們吃飽的人流淚

要像沒飯吃的人流汗●

（十一年五月一日）

二狼

第一狼：

這一大堆現成肉
我們只揀肥的咬。
橫豎不是我殺人，
這樣吃麻不算小。

第二狼：

你這守舊的笨狼，
今天還吃什麼肉。
中了有獎公債票
還不揮霍一揮霍？

第一狼：

不錯，最有味的，
是舔胸前的傷口。

那種鎗球的餘味
好比百補鐵精酒。

第二猿：

我們發發慈悲心，
剩些帶肉的骨節。
倘使烏鴉怕死人，
可以留給窮人喫。

第一猿：

哈哈！這一仗以後，
那還有人罵我們。
我們喫人是天性，
他們殺人是本分。

第二猿：

我倒有一句笑話，
任他們分天分地，

我們從南嗅到北，
總是這一種臭氣。

第一猿：中國人是中國人，
同是一樣汗酸臭。
我看分得清楚的
是軍裝寶星之類。

第二猿：那不能嗅的東西
管他像鬼像猢猻。
我們不怕軍裝鬼。
只要死嗅中國人。

同：哈哈！又是砲聲。
要嗅熱血趕快走。

看這一次死下來

有戴高帽的沒有。

（五月十五日）

夢醒

我知道前一刻的事情
沒有同夢裏的因緣結束。
彷彿是行路人失掉了一段路，
看眼底的青山變沙漠。

眼淚和微笑是連根生的，
無端移過了一重山，
像霹靂似的變換了家鄉。
唉！這一刻情緒的枯乾！

來罷，門前的狗吠。
來罷，牀上的月光。
這是苦惱人的半夜罷。
這是被壓國的一方。
慈悲的，釋放奴僕人的夢。
清淨呀，這一刻的悲而不痛。

（十一年六月五日）

雜感一

我獻於你沒有目的的悲哀
你接受了罷！
太平洋上有白雲的影子
在無邊的綠水上行走。
那一片葡萄酒的顏色
究竟是誰的主張？
是天的罷海的罷還是向晚的時候所不能不有
的？
我獻於你葡萄酒的顏色。

雜感二

石榴花是五六月的血，
天地的真心就在你窗前了。
石榴花在不相識的女子的胸前，
有人說他望見天地的真心了。

雜感三

城牆高，城牆闊，
底下有五百年前的戰死骨。
拆了城牆造大路，
路上車馬過，
地下的骨頭格格動。
連聲叫苦說：「還了我五百年前的城牆罷。」
城磚狂笑說：「我們蓋了大屋子，
那像你們不長進的死骨頭。」

（十一年六月二十日）

雜感四

千萬不用燈火來照我，
我的驚怕還不至於此。
倘使你奪了我黎明的光，
那我差不多煩惱要死。

趁這烏鴉未叫以前，
讓我數數自己的心跳。
這永無窮盡的一二三……
這是我煩惱的不了的了。
可惜我沒有這種膽量。

渡河

誰也禁不住這出將入相；
幕後的記憶，幕前的希望，
循環不息的演變着。

再不然，數到了一個整數，
我的心跳像格外沉重。
二十幾——是某某的年齡，
那就像大難臨頭的惶恐。

涅槃是與我無分的了！

（六月二十八日晨）

雜感五

佛近尼山間的紅屋頂，
理安寺路上的青竹子，
抽兩片舊遊的痕跡，
成一幅夢化的畫圖，
那也是我的新詩。
寫下來罷，
太陽出來露水乾了，
再找不到圖畫的聲音。

（七月一日侵晨）

兒子

（一）

立在海邊遠望的人
不覺大浪打到脚上。
大浪漫漫的退去了，
留一片蠣殼在身旁。

（二）

白雪是一幅新製的屏風，
遮蔽了無數憔悴的苦衷。
梅花開透了凍死的眞心。

（十一月底）

發顫的希望呵，醒，醒。

（三）

我送我妻進醫院的時候，
正是催耕鳥催天亮的時候。
那一幕不知道是悲歡苦樂
那一卦不知道是吉凶休咎。
但覺得一個大有力的
打倒了一個大有力的。
我是奴隸轉了個買主，
我是奴隸向他屈膝的。

（四）

我把臉偎着他的臉，

不覺得有熱潮流到眼中來。
二十多年前的一重浩劫
到如今還惹起隱痛來。
我的母親兒女多了，
愛我是一生最後的勞苦。
一朝把嫩苗交付了死神，
從根上重長起今天的我。
我的兒，我的嫩苗的根啊，
願你的身上沒有傷痕啊。

（十二月五日）

（五）

我的兒子眼裏的光

還不曾有歷史的毛病。
我的兒子眼裏的光
也不代表有什麼良心。
我的兒子像三月的毛筍，
只是長，只是長。
學飛的喜鵲，出水的青蛙，
也是這樣。

（六）

我對妻子說：
「介宜，搬些仁義禮智來，
讓咱們造一個名教的功人。」
我又懊悔說：

「不，難道自由人生下兒子來，
依舊給木偶做紙紮的忠臣？」

（七）

兒子的脚踏到我的胸上，
又像擂鼓的擂了好久。
小嘴裏忍禁不住的泉水，
斷斷續續的流了我一頭。
可惜他將來做了孝子，
就忘了今天這樣的自由。

（十二月七日）

（八）

你的哭

是我最怕聽的聲音了。
倘使你母親沒有飯喫，
今天斷絕了你活命的泉源，
你這樣的哭，
不要使我鋌而走險了麼？
人生不料有這許多苦痛。
沒有長牙的乳兒
皺緊了黃瘦的臉兒餵冷飯。
呵，苦惱人，
早知今日，何必生兒育女呵！
我的兒，你留下一些眼淚
為不堪觸目的中國人哭罷。

（九）

有三小時沒有乳喫，
再沒有人能安慰你。
白天裏你有時夢哭
像和人爭什麼閑氣。
你睡了又像蝗蟲喫葉，
看你的小嘴一開一閉。
然而這幾星期來
生活可不是這樣簡單了。
賣糖的小鼓在門前響，
小野蠻人要回頭看了。

（十二月九日）

我彷彿看見無謂的慾望
踏破了他的門檻了。

（十二月廿八日）

（十）

火爐上的水壺響得「撲撲撲」，
小鐘份外用心的「的的的」。
我一人耐不下三更的寂寞，
來聽他拉風箱似的呼吸。

（十二月三十日）

治喪

進門去，一長排的輓聯拂拂的動，
說今日的死人六十年前就沒了老子。
說死人的孫子明年要點洋翰林了，
無常鬼偏沒有一些兒情面。
進門去，循例有一陣吹打。
誰不知死人的榮幸啊！

東廳上好一羣開不過招待員，
一個個丟下笑臉來。
一位女招待員換了緋色的緞襖兒，

想是『謹治菲肴』的時候到了。
新洋布做孝服的至戚們
挺着一森林灰漆的脰頸。
好又似東南風來了，
西北方有一大堆四色的冷碟兒。

進孝堂，一鞠躬，二鞠躬，三鞠躬。
對着不見的孝子一鞠躬，
護喪的一鞠躬。
末一次，是有人回禮的。
我們對國旗行慣禮的人
也不覺得孝子與死人有什麼稀罕。

出門來，循例有一陣吹打。
誰不知活人的難做啊！
那是莫大的悲哀。

（九月）

哀歌

自從失敗了昆陽之役，
美術的營裏，再沒有
像巨無霸魁偉的人
一顯我們漢人的身手。
冷盡了深宮的爐火，
停止了向晚的鐘聲。
看中國人的精神唉，
像一片紅牆圍繞的墳。
葬了罷，感情的骸骨。
我每見了齊梁的造像，

渡河

或是野藤封鎖的廟門，
怪可憐的一叢破相，
嘆我們祖宗向美的心
變做了世情換飯喫。
無可逃避的機械啊，
是現代人生難解的謎。
印度的靈魂可以輪迴，
猶太的死人可以復活，
那我們錦袍玉帶的死人
或也能恢復他心頭的熱。
但願觀世音走下畫圖來
去開導他的忠臣孝子，

162

說我們的饑餓是活人的饑餓，
這樣販骨董永不能救死。

（九月杪）

人口問題

（一）

前面挑兒子，後面挑沙鍋，
江南走過好幾府。
好年爬菜葉，
壞年爬垃圾。
患難一到頭，
大家小戶一齊走。
女娃娃，今年不要錢。
領了張家的，
伴我們的寶貝過新年。

生兒十六不做親，
黃泉路上冷清清。
算起來三十五抱孫不算早。
也不枉做了一世的難民。

（二）

所以好古先生們
倫常道德都要舊。
七出之條有『不育』，
第一大罪是『無後』。
豈不知|堯舜|以孝道治天下，
又何必用幾何級數量人口。

（十月二十四日）

農夫

稻熟了，一片嫩黃的安慰。

短烟筒弛緩了胸前的氣。

短脚香爐也沒有他知足，

九月的農夫是成功的王。

農夫說：「用粗米變成的血

免了他們活命的大恐慌。

看啊，太陽又落到岁下了。

啊，母雞叫了，烏鴉也叫了。

你我倆也可以休息了罷。

我們還能省下一刻功夫，
對陌路上的野花看一看。
披着花影藏着落花的水
趁你流汗的時候流去了，
剩給我們的，這一叢野菊
和荒山上薄薄的紫烟。
一年有幾個秋天的傍晚，
我們不休息再待何時哪？

過幾天，我想還是要種豆。
啊，朋友啊，你今天晚上來，
你家裏有好喫的帶了來，

渡河

一杯酒好預定一年之計。
這老不朽的一條背脊骨，
還是沒有一天休息的好。
恐怕明年連勞苦都不成，
那我們要離別家鄉去了。
看我腿上柳條粗的青筋，
勞苦是我們份內的細事。
不休息罷，還是不休息罷。
縣城裏嬌養慣的書獃子
說這一座青山使他流淚。
他們的眼淚眞比我們多。
二十年前我懂得他一些。

到了今天你看焦紅的臉，
一生甜酸苦辣都在裏頭。

（十一月十九日）

小船

我指點他看，
柳陰裏有一條小小的船。
㸃我一些小小的風，
可以把感情葬在其中。
我見那樣就寫那樣，
我也不必要山高水長。

小船呀，我們萍水相逢，
也做過一春的知己。
那時候有萍水相逢的女子，

也是柳陰裏日色平西。
我們各自向書本裏討生活，
又各自思量恩愛的人。
雖不是太上忘情的歲月，
也博得一箇今天無怨無恩。

小船呵，我又想到濮多馬河上了。
並不是華盛頓的南邊，
有什麼驚心動魄的山光，
或是不近人情的愛戀。
只爲那一天促膝對坐的
是一個邂逅相逢的女子。

渡河

我的心是偶然結構的戲台，
他呢，是走江湖的戲子。

　小船的影兒在我心裏
猶如流星在燦爛的天空。
不是故意的把身兒那一轉，
就是狠溫柔的鞠一個躬。

（十一月二十二日）

見鬼

失望的人到了黃昏，
街上見一直線的路燈
隨他的脚步而一高一低。
那很不自然的節奏裏
有你推我擠的黑影的世界。
那是失望的人見鬼的夜。

燈熄的時候，
牆上有長的影子跳着。
下弦的月色

在窗外的松林上照耀着。
酒酣耳熱之後，
聽夜哇子遠遠的叫着。
失望的人不見鬼，
在自殺的欄干上靠着。

還世界竟沒有一個人了！
竟凍死他單獨的一身了！
他是人，他是豪俠的人，
是能嘻笑怒罵，咬牙切齒，赴湯蹈火的人。
他有祖宗傳下來明熀熀的寶劍，
還敢同牛鬼蛇神對一個面。

見鬼了麼？也要交幾個强鬼，救幾個苦鬼，
殺幾個醜鬼。
他的心可以失望的，
他的劍是明熀熀的。

（十二月五日）

三 疑問

羊肉店的後面
見小山羊在園裏嚼苜蓿。
這樣潔白的東西
也和我們搶飯喫的麼？
這樣溫厚的東西
也像我們殺苜蓿的麼？
這樣可疼的東西
也送進羊肉店去的麼？

（十二月七日）

弱者

（十二月九日，蘇州）

山花不在此地找安樂土，
只是以後不能再向前流。
下午，苔絨織成的氈子上
坐着一個眼紅面熱的人。
忽然有啄木鳥丁丁的響。
隨後有幾個蛙兒跳進水。
過此以往，一切都是沉寂。
坐着的人靜靜的背着說：
「凡是怨恨懦弱勞苦倦極；
欲火燒殘以至長夜無明；

迷霧之中失去前程目的；
凡不得已而殉幻夢的人，
歧路彷徨，情場躑躅的人，
回到此地來受個洗禮罷。
我們殺人放火，就義成仁，
踏進了盜蹠孔丘的聖廟。
史上留名，心臟早已破碎。
這緊進了身腰的惡奮鬥
豈是血肉的人久長之事。
回到此地來受個洗禮罷。」
斜陽裏幾個蛙兒跳進水。
過此已往，一切都是沉寂。

齅覺裏的蘇州城

——一笑——

（一）

不斷的齅了十分鐘油膩氣，
知道已經走進了蘇州城。
蘇州人當可沒有早餐喫，
當掉了夾衣還是喫餛飩。

（二）

甫橋的南首一陣牛皮臭，
三百錢訂一雙薄底的春鞋。
如今漲到了一雙八九角，

依舊是臭皮在臭皮店的街。

（三）

水菓店的門前無端汗粉香，
蘇州人的淡妝以耳邊爲界限。
隨他更換了十番的妝束，
耳後的灰光還是沒有變。

（四）

人類的鼻子有一朝退化，
輕二硫可以有一天不臭，
只有蘇州人曠代的文明
有怪香撲鼻，永久，仍舊。

（十二月九日）

永生永死

——一名唯識論與啓示錄——

串錢的蔴繩一斷而爲兩，
無數的小錢在瓦片裏亂滚。
又似霹靂打散了一羣羊，
山邊上不可收拾的狂奔。
但是人生最後的解組
要剩種種斷不斷的因緣。
變大我爲無數小我的痛苦。
所以某少年有自殺的今天。

渡河

今天以前某少年的記憶
是黑板上擦了去的鉛粉。
再沒有戀愛憂愁的痕跡。
這才是所謂看破了紅塵。
這世界不必爲他哀哭，
又不是寡婦孤兒的枉死。
上了這山坡的不再退縮，
茅亭上好掛他得勝的死尸。
到此有許多人解除了隱痛，
有許多人得見最後的靈光。
除了普陀山的觀音洞，
沒有比此地好死的地方。

上山坡大約在五更左右，
每一步是不會再跨的一步。
總不料在那山路的盡頭
早有一個不要死的聖徒。
從前有四個白髮的聖徒
每在五更來此地祈禱。
後來有三個走上了天路，
留他一個人天天的起早。
「神呀，我的主呀，天國快來唉！
像經上說太陽要變血。
你放火燒盡這亂的世界，
領我進永遠太平的神國。

渡河

你把這幾根白髮變成黑，
好睡在亞伯拉罕的胸前。
天使的喇叭不停一刻，
聖徒的賽會不間斷一天。」
少年人再忍不住冷笑。
那一笑是大旱以後的細雨，
生命樹的枝葉不再枯焦。
求死反不及求生的有趣。
老聖徒聽了惡魔的笑聲，
心裏仗着聖靈的寶劍，
破口而出的「魔鬼的子孫；
竟敢趁五更來同我相見。」

後來在下山坡的路上
兩個人像悟會了人生。
大凡太陽照到的山坡上
必沒有永死，也沒有永生。
（我不該用宗教的經驗做打油詩，只
是人生有時實在是滑稽之極。）

（十二月十二日）

愛蓮

（這是我讀了法人夏奈 Jan't 歐斯德里亞的證候裏的一段故事，照自己的經驗改寫的。）

上海城外水紅妝的女子
十八九歲的愛情濃如墨。
祇有他為患難寫生的臉
像人家印訃聞的毛邊紙。
才一星期，無端又發作了。

愛蓮的瘋病上了三年身，
出洞的蚯蚓還斷續的動，
盲蟲的動那不使人難受。

兩眼像石榴花的紅而大。
手捧了一亂柴堆的頭髮。
拳曲的身子像抽筋的顫。
想像中在鐵路上尋末路。

想像中的火車狂叫飛跑，
開門的地獄吞命運來了。
看他也是尋常怕死的人，

渡　河

無名之火直迸出眼眶來。
胸前的呼吸像中鎗的鹿，
一聲驚叫是他想像的死。
然而苦人究也沒有死過。
象小孩子在園裏裝假死，
躺了一刻就爬了起來了。

「這些破舊的衣服我不要，
清白人家不用白皮棺材。
我的死娘是進士的女兒。」
再不能說了，忍不住寒噤。
「知道的，連這口薄皮棺材

都是老爺太太們的賞賜。
我給老爺太太們叩頭罷。」
就像木頭人向空牆拜謝。
想像中抬棺材的在前走。
一步一哭的向叢葬之地。
空牆裏聽鄰居的勢利話：
「死了，也罷，倒饒了他女兒。
積善的世家是這種收場。」
愛蓮只是搶步低頭的走。

記憶的坟裏再掘下一層，
愛蓮最後跪在病榻之旁，

渡河

求鬼求神來止母親的血。
隱藏的病魔最殘忍之處
使人到死沒有一刻昏迷。
最後他放手在女兒頭上，
還是熱淚像夜雨打空窗。
天沒有亮，他一轉眼去了。
不知何處聽來的神話，說，
死人能起來走就算不死。
一個幾經磨折的女兒身
那有能爲死人代步之理？
像血的晨光透進明瓦來，
照見地上驚魂半死的人

和他胸前全無生息的頭。

今天是發工錢的星期六，
想像中的酬勞也是安慰。
只是愛蓮受了這五塊錢
有史以來沒有這樣傷心。
「你想要什麼喫我都去買。
這三塊錢他們知道你病，
知道我窮，所以多給我的。」
「是真的麼？願神明責罰我！
天呀，我早已不是處女了。」

渡河

愛蓮的病到了精神清楚
總是爲了失掉人格而哭。
他醒來一切都不能記憶，
只哭他早已不是處女了。
到他油火燒盡的那一天，
總說還同看護婦接了吻，
摸了他胸前綉的紅十字。
受罪的羔羊從此閉了眼。
第二天的本埠新聞欄裏
說瘋人院裏死了一個女工。

（十一年聖誕前一星期）

冬至日朝陽門外

從城梁子叫老爺直到皇陵裏，
一个子的酬勞算不得什麼貴。
朝陽門外赤裸裸的平等社會
連要飯的聲音都是一樣高低。

戴狗頭帽的，戴舊洋帽的，不戴帽的，
半哭半叫的，假哭假叫的，
見食張口，
將來做共和國民的一羣野狗。

渡河

朝陽門外普徧的家教，
朝陽門外的露天學校，
會跑會叫，
會老爺太太連起來叫，
會把兩眉一縐，會把嗓子提高，
兒子呀，女兒呀，你們去自尋飯喫罷，
你們的希望就此畢業了！

山下問扎柴的兒童，
「山裏有沒有老虎刺？」
他說：「山凹裏有很大的一叢。
我領你看，你給我一個子。」

我們跑了一個空，
只有葉，沒有紅子。
他說：『再上去有幾枝滿樹紅。
我領你看，你再給一個子。』
跑到山腰，
有一枝紅得像火發。
沒有斧頭沒有刀，
路又這樣遠，山又這樣高。
『我去道士廟裏借一把。
這一回你給我一毛錢罷。』

老虎刺也找到了，

要錢的也要飽了。
我的心像喪失了信仰的不安，
怎樣能回家過加利利人的聖誕？
然而我總不免下山去，
除非我不做這神明華裔。

山的西邊，
亳州的叫化子傳給我們一片荒烟，
南京呀！
山的東邊，
是叫化子自身的紀念，
孝陵呀！

叫化子的文明的中心點，
一處一處包蘿菝棘子的屋頂呀！

但願有力之神
滅絕了我的天眞，
塞住了我知覺之路。
我再不能對這寂寞的南京城，
像那加利利人
望着耶路撒冷而哭。

（十一年聖誕前三日）

小溪

不見星光的晚上
你從石竹的根裏呼嘯而來。
黎明，
有零落的野薔薇
旋轉又旋轉，一擁一瀉而去。

每年寒食
回來招你的魂。
我的朋友呵，
落花再流過幾回，

我的眼珠兒暗了。
還是要回來
聽你親切的聲音
直到我聾瞶無知之日，
石竹的呼嘯，薔薇的流瀉，
又是我享用不盡的心像了。

（一九二二聖誕）

一九三三元旦

沙河加起横的曠野
無限的白草聯白草。
趁通車走一天一夜，
車輪像抓不住軌道。
好容易見幾間村屋，
一眨眼又變了幻影。
可憐電桿上的數目
一個又一個的加增。
電桿上的數目字呵，
我們的新年還沒有你有意思呵。

向前去還有多少路，
我們大約是知道的。
向前的日子怎樣過，
不是我自己引導的。
我只要遠遠的觀看，
現在所經過的一里
有沒有淡淡的青山
可以供將來的回憶。

（注）沙司加起橫是加拿大偏西的一州。
我的經驗裏此處是最單調的牧地。

告女權運動者

從今不再有熱威冷笑，
我們把舊債一筆勾消。
姊妹們，我連做夢的時候
也希望你們早一日自由。
然而你們刻意的模倣，
這樣裝鬼臉發男性狂，
要復讎又自認做奴隸，
把醜惡的人生變了醜極。
我們男子訂交出肺肝，
沒有像愛女子三分的膽。

河渡

我們心目中有男有女，
才是超乎禮教的一毫生趣。
姊妹們，還是留一些後步。
像牽牛花少不得朝露，
桃李花不能不有風媒，
水紅光照在純白的玫瑰，
就這走馬看花的生命裏
我們少不了這一重關係。
要希望把兩性摶成一性，
除非你們把我們兼併。
只是兼併之後，渾沌之後，
人生不值這一番奮鬥。

至於男子呢，受傷的感情
還是找永久不磨的女性。

（一月七日）

紙錢

（一）

粗紙敲銀元，
薄紙印鈔票，
黃紙白紙糊的大元寶。
看了陽價定陰價，
窮人無錢沒有法。
帛紙中間剪個洞，
陰間只算當百大錢要。

*　　　*

勸你窮人不在北極閣的坡上哭，

渡河

我給你陰間行用的文書寫一幅，
把陰間的錢粮都歸你丈夫一個人掌握。
我的老奶奶，
富鬼窮鬼沒有一鬼不慕你的福。

*　*

我們的祖宗唉，饒了我們罷。
我們喫的是眞米，
穿的是眞布。
瞧的是眞病；
還的是眞租。
我們燒帛紙，
表一些孝思。

206

明知是假的，
然而活人不能死。
我們的祖宗唉，饒了我們罷。

（二）

棺材後面散紙錢，
沒有金錢難上前。
滿街無賴鬼伸手，
搶錢還沒有偷錢醜。

（一月十四日）

晚鴉

杏黃的背景，
七零八落的幾塊青天。
好一陣烏雲
把煖烘烘的夕陽裝點。
一眨眼不飛，
也給我看一個周徧。

（一月十六日）

筍

「沒有光怪陸離的世界，
斷沒有這樣嘈雜的脚音。
我們短促的日升日落
只有前山頂到後山頂。
去罷，去罷，山澗的生活
牽不住我們年少的心。」

「山地，我們用舊的搖籃，
山水，我們喫厭的乳瓶，
山風，小覷我們的乳媪，

山花，籠絡我們的情人，
去了，去了，綿軟的生活
包不住我們年少的心。」

「甲板之下聽滔滔的水，
渡太湖像要渡個不盡。
悶死，悶死，再沒有空氣。
快長，快長，漲破這環境。
看來不付渡湖的代價，
顯不出我們年少的心。」

「嫩筍呵」，沿街的叫賣。

嫩筍還算不上奢侈品，
只是尋常剝皮煮鹹肉，
多喫了又喚不起情感。
總是沒有問題的慣例，
埋葬了他們年少的心。

（一月廿一日）

雪朝

不願意的街道上也受了一夜洗禮，
耆窮的醜一變而爲美的淒涼。
凍呆的雀子在瓦縫裏躲避，
打斷了冰絲琵琶錚錚的響。
乃沒有個人影，
稀薄的空氣裏叫『大餅』，
像敲磬的聲音。

一籃的大餅凍得沒有人買。
載重的車子拉不上橋來。

家裏像呆鳥沒有隔夜的米。
路上無人是什麼法子呢？

過，過，得過且過。
過，過，沒奈何。

我們的不長進
就在我們的耐苦。
過，過，過去的人影。
麻木的我的心。

（一月廿四日）

春囘

這又是春天囘來了。
現放着這樣的空氣覺不得，
偏又在井欄上橋洞裏找什麼符號。
今天早上叫賣的聲音
不已比昨天沉濁了些麼？
我夢裏又給畫眉叫醒。
昨晚的雷像從地心裏流過。
就在這幾天

我的蒲公英一定來看我。

渡河

216

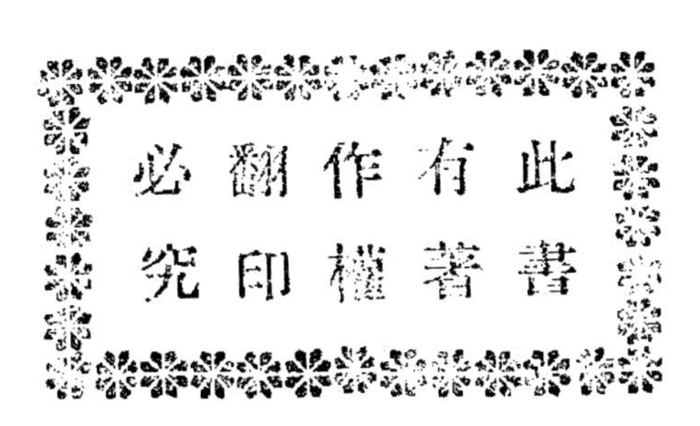

中華民國十二年七月出版

渡河（全）

每册定價洋四角五分

外埠酌加郵費

著者　陸志韋

發行者　亞東圖書館　上海五馬路棋盤街西首

印刷者　亞東圖書館　上海五馬路棋盤街西首

分售處　各省各大書店

白話書信

高語罕先生編

中學一二年級及高小三年級適用

不但教授一般書信的知識，並且啟發青年文學的興趣，引導他們順應時代的思潮。

已有許多學校採用為課本。

全書近三百頁 定價大洋八角

上海，亞東圖書館發行

三葉集

這本集子是田壽昌，宗白華，郭沫若三先生的通信。裏面討論的問題是：歌德文學，詩歌問題，近代劇曲，婚姻問題……等等。

定價三角五分

亞東圖書館發行

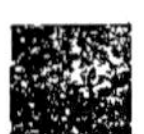

定價八角

國文作法

高語罕先生編

（中等學校適用作文教本）

▲內容舉要

通論

（一）國文作法的意義

（二）作文的初步

（三）文字的要素

（四）文字的戒律

（五）文字的美質

（六）文字的精神

（七）文字的構造

文體

（一）敘述文及其作法

（二）描寫文

（三）解說文

（四）論辯文

附錄

書信的寫法

標點符號

上海亞東圖書館發行

定價三角五分

中國語法講義

孫俍工先生編

（中等學校適用國語法教本）

▲內容舉要

（一）概論

（二）詞底專論

（三）句底專論

這部文法未出版之前，已經兩次實地試驗：（一）漳州第二師範（二）長沙第一師範。

邵力子先生序

陳望道先生序

上海，亞東圖書館發行

加新式標點符號分段的

水滸

胡適的水滸傳考證

水滸傳後考

『……這部新本水滸的好處就在把文法的結構與章法的分段來代替那八股家的批評……』

陳獨秀的水滸新叙

『……水滸傳的長處乃是描寫個性十分深刻……』

（七百餘頁）洋裝兩册，兩元二角

平裝四册，一元八角

上海，亞東圖書館發行

加新式標點符號分段的

《國語的文學》

儒林外史

吳敬梓傳……胡適之先生

吳敬梓年譜……胡適之先生

儒林外史新叙…陳獨秀先生

儒林外史新叙…錢玄同先生

全書近五百中頁

▲洋裝一册 一元八角

▲平裝二册 一元三角

上海，亞東圖書館發行

加新式標點符號分段的

紅樓夢

紅樓夢考證⋯⋯胡適

對於胡適之先生紅樓夢攷證之商榷⋯⋯蔡子民

跋紅樓夢攷證⋯⋯胡適

答蔡子民先生之商榷⋯⋯胡適

紅樓夢新叙⋯⋯陳獨秀

打破從前種種穿鑿附會的『紅學』，創造科學方法的『紅樓夢』研究！

（全書近一千二百頁）

（定價）

洋裝三冊　四元二角

平裝六冊　三元三角

上海，亞東圖書館發行

加新式標點符號分段的

西遊記

現在市上通行的本子，不是完全的，是刪節的。這個本子依據乾隆古本翻印。全書比今本約多十分之二三。

新叙　胡適之先生

新叙　陳獨秀先生

（全書一千餘頁）

（定價）

洋裝兩冊　三元二角

平裝四冊　兩元五角

上海，亞東圖書館發行

加新式標點符號分段的

三國演義

胡適之先生序

錢玄同先生序

『五百年來無數的失學國民從這部書裏得着了無數的常識與智慧，……學會了看書寫信作文的技能，……學得了做人與應世的本領。』(胡序)

洋裝二冊　定價兩元八角

平裝四冊　定價兩元二角

上海，亞東圖書館發行

加新式標點符號分段的

鏡花緣

有胡適之先生長一萬餘字的引論。引論裏有一段論這部書的價值說：

……他對于女子貞操，女子教育，女子選舉等等問題的見解，將來一定要在中國女權運動史上佔一個很光榮的位置

洋裝兩册，二元二角

平裝四册，一元六角

上海亞東圖書館印行

胡適文存

全書由胡先生親自編定，分爲四卷。

有的文章是發表過而修正的，有的是不曾發表過的。

▲卷一，論文學的文

▲卷二與卷三，帶點講學性質的文章。

▲卷四，雜文。

洋裝兩冊兩元八角

平裝四冊兩元二角

獨秀文存

全書近六百頁，由陳先生親自編定，分爲三卷：

▲卷一，論文。

▲卷二，隨感錄。

▲卷三，通信。

洋裝兩冊　定價兩元七角

平裝四冊　定價兩元一角

吳虞文錄

定價三角五分

先生知道孔子之道何以不合現代生活？先生對於孔教懷疑到什麼地步？不可不看吳先生這部集子

上海亞東圖書館發行

 胡適之先生著 **嘗試集**

嘗經增訂，分爲三編，附去國集。有四版自序。

定價四角五分。

 康白情先生著 **草兒**

有自序，有俞平伯先生序。

分三部：(1)從草兒在前一詩起，至九月廿七日赴美止所作新詩；(2)附錄新詩詞數十首；(3)附錄新詩短論一文。

定價八角。

 俞平伯先生著 **冬夜**

有自序，有朱自清先生序。俞先生三年來的詩，大部分彙在這個集子裏。全集分四輯。

定價六角。

上海亞東圖書館發行

俞平伯著　顧頡剛序

紅樓夢辨

（定價壹元）

全書分三卷，文十七篇，共十餘萬字。

上卷（1）論續書底不可能（2）辨原本回目只有八十（3）高鶚續書底依據（4）後四十回底批評（5）高本戚本大體的比較

中卷（1）作者底態度（2）紅樓夢底風格（3）紅樓夢底年表（4）紅樓夢底地點問題（5）八十回後的紅樓夢（6）論秦可卿之死

下卷（1）後三十回的紅樓夢（2）所謂『舊時真本紅樓夢』（3）『讀紅樓夢雜記』選粹（4）唐六如與林黛玉（5）記『紅樓復夢』（6）劄記十則

上海亞東圖書館發行